Alain Le Saux

Ma maîtresse a dit
qu'il fallait bien posséder la langue française

Rivages

© RIVAGES, OCTOBRE 1985/5-7, RUE PAUL-LOUIS COURIER, 75007 PARIS/10, RUE FORTIA, 13001 MARSEILLE/ISBN 2-903059-82-9

Ma maîtresse m'a dit
qu'il fallait se meubler l'esprit.

Ma maîtresse a dit
que mon voisin Raphaël avait trop souvent
la tête ailleurs.

Ma maîtresse a dit
qu'elle voulait tous nous voir suspendus
à ses lèvres.

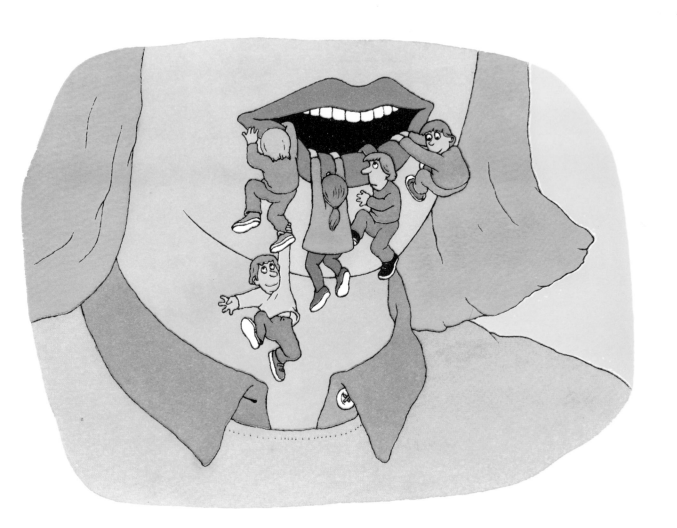

Ma maîtresse a dit
qu'elle ne tolérerait pas d'être mise
en boîte.

Ma maîtresse m'a dit
que l'année dernière elle s'était occupée
d'un jardin d'enfants.

Ma maîtresse m'a dit
que jusqu'à dix-huit ans je serai mineur.

Ce matin ma maîtresse nous a dit qu'elle était en retard parce qu'elle avait mordu une ligne jaune.

Ma maîtresse m'a dit
que nous descendions tous du singe.

Ma maîtresse a dit
qu'il fallait bien posséder la langue française.

Ma maîtresse a dit
qu'elle voudrait nous voir plus souvent
plonger dans nos livres
de géographie.

Ma maîtresse a dit
à Jules qu'il avait trop souvent la tête
dans les nuages.

Ma maîtresse a dit
qu'elle nous préférait coiffés avec une raie
qu'avec une banane.

Ma maîtresse nous a dit
que nous devions obéir au doigt et à l'œil.

Ma maîtresse a dit
que nous serions tous collés si nous
n'arrêtions pas de bouger.

Ma maîtresse m'a dit
que devant tant d'ignorance ses bras
lui en tombaient.

Ma maîtresse m'a dit
que mes parents allaient être surpris
en recevant mes notes.

Ma maîtresse m'a dit
qu'elle devait chausser ses lunettes avant de
nous lire une poésie.

Ma maîtresse a dit
que lundi on fera le pont

Ma maîtresse m'a dit
que je ne devais pas souffler à ma voisine
quand elle séchait.

Ma maîtresse a dit
à David de prendre la porte parce qu'il
regardait par la fenêtre.

Totor et Lili chez les Moucheurs de nez

TEXTES ET DESSINS DE PHILIPPE CORENTIN ET ALAIN LE SAUX

Collection le Monde des Adultes / Volume 1 / Editions Rivages

Papa m'a dit
que son meilleur
ami était un
homme-grenouille

par Alain Le Saux   Rivages

Maman m'a dit
que son amie Yvette
était vraiment
chouette

par Alain Le Saux   Rivages

ENCYCLOPÉDIE
DES GRANDES
INVENTIONS
MÉCONNUES

C'est à quel sujet?

par Philippe Corentin   Rivages

Nom d'un chien

par Philippe Corentin   Rivages

Porc de pêche
et autres drôles
de bêtes
par Philippe
Corentin
Rivages

Papa n'a pas le temps

par Philippe Corentin   Rivages

Achevé d'imprimer le 28 mars 1988
sur les presses de l'Imprimerie A. Robert
24, rue Moustier - Marseille
pour le compte des Editions Rivages
5-7, rue Paul-Louis Courier, 75007 Paris
10, rue Fortia, 13001 Marseille

7e édition

Dépôt légal : avril 1988